D0835598

Help! Ik ben verliefd

Uitgeverij Eenvoudig Communiceren | Lezen voor Iedereen
www.eenvoudigcommuniceren.nl
www.lezenvooriedereen.be

Een aantal van de columns van Rhijja Jansen is in gewijzigde vorm verschenen in de makkelijke kranten van Eenvoudig Communiceren.

Tekst: Rhijja Jansen
Vormgeving: Eenvoudig Communiceren
Beeld omslag: Rachel van de Pol
Druk: Easy-to-Read Publications

ISBN 978 90 8696 155 9
NUR 286

Help! Ik ben verliefd

Rhijja Jansen

Inhoud

Voorwoord

Verliefd zijn is super, maar ook doodeng. Want het kan je heel onzeker maken. En als het uiteindelijk uitgaat, voel je je intens verdrietig. In dit boek lees je over mijn liefdesleven, de mooie, de verdrietige, en vooral de grappige dingen. Ik hoop dat je er iets in herkent, en misschien zelfs iets van kunt leren. En er om kunt lachen. Want de liefde is vooral heel erg leuk.

Veel leesplezier!

Liefs,
Rhijja

1 | Uit

'Ik maak het uit', zei mijn vriend. Ik keek verbaasd. 'Hoezo?' 'Ik ben niet meer verliefd op je', antwoordde hij. We hadden al vijf jaar verkering. 'Geef het alsjeblieft een kans', zei ik. Maar hij schudde zijn hoofd. Nee, het was echt voorbij. Je begrijpt dat ik daar ontzettend verdrietig van werd. Ik huilde de ogen uit mijn hoofd.

Hoop

En toen had ik hoop. Ik hoopte dat hij dacht: foutje, bedankt. Ik wil Rhijja weer terug. Dat hij spijt zou krijgen van zijn beslissing. Dus altijd als ik hem zag, trok ik mijn mooiste kleren aan. Zodat hij dacht: wauw, wat is Rhijja toch een lekker ding. Ik maak de verkering weer aan. Maar dat deed hij niet.
Ik stuurde hem leuke kaarten met hartjes, en hoopte elke dag dat hij me zou bellen. Maar dat deed hij niet. Het leek alsof ik verslaafd aan hem was.

Drie kussen

Op een dag, gingen we samen wat drinken. Hij gaf me drie kussen, op mijn wangen. Dat vond ik nog steeds stom. Ik wilde tongzoenen. Toen gingen we zitten.

‘Rhijja,’ zei hij, ‘ik heb het gevoel dat je hoopt dat ik de verkering weer aanmaak.’ ‘Nee hoor!’, riep ik heel hard. Hij zei: ‘Ik wil dat je weet dat ik dat nooit zal doen. Ik wil geen relatie meer met je.’ Ik beet op mijn lip. Ik voelde een huilbui aankomen.

Niet zien

Een uur later namen we afscheid. ‘Wanneer zie ik je weer?’, vroeg hij. ‘Voorlopig niet’, zei ik. Hij schrok. ‘Waarom niet?’ Ik haalde diep adem. ‘Omdat het tijd is om af te kicken.’

Het leek alsof ik verslaafd aan hem was

2 | Liefdesverdriet

Ik huil, heel hard. Want ik heb liefdesverdriet. Mijn vriend is nu mijn ex-vriend, en dat maakt me superverdrietig. Ik probeer van hem af te kicken, maar dat is moeilijker dan ik dacht. Bij alles moet ik aan hem denken.

Woensdag

Als ik een bepaald liedje van Nickelback hoor, denk ik aan hem, omdat hij een gruwelijke hekel aan dat nummer heeft. Als ik Adidas-schoenen zie, denk ik aan hem, want dat zijn zijn lievelingsschoenen. Wanneer het woensdag is, denk ik aan hem, omdat hij dan altijd tennist. Ik word er knettergek van.

Wegstoppen

Alles wat me aan hem doet denken, gooi ik weg. Ik stop alle foto's van ons in een grote doos.

Bij alles moet ik aan hem denken

Het jasje dat ik kreeg, stop ik in een plastic zak.
Ik luister niet meer naar de radio, zodat ik 'onze' liedjes niet meer kan horen.

Doorheen
Maar dan begin ik over hem te dromen. Dat we weer een stelletje zijn, of juist dat hij me weer dumpt. Elke ochtend word ik met een rotgevoel wakker. Maar dromen kun je niet in een doos of een plastic zak doen. Je kunt ze niet stoppen. Ik moet er doorheen.

Netjes
Op een avond ga ik naar de kroeg met een vriendin. We kletsen en lachen, en opeens bedenk ik dat ik al een paar uur niet aan mijn ex heb gedacht. Yes! Het gaat beter. Mijn vriendin vertelt ook dat ik nu andere jongens kan ontmoeten. Misschien zijn zij wel veel leuker dan mijn ex. Want mijn ex was wel erg netjes. Hij werd altijd kwaad als ik troep maakte. En hij wilde nooit met me mee naar verjaardagen, omdat hij daar geen zin in had. We konden ruziemaken om de sufste dingen. En daar ben ik nu mooi vanaf. Opeens moet ik glimlachen: eigenlijk is single zijn zo gek nog niet ...

3 | Nieuwe jongen

Nu ik geen verkering meer heb, mis ik een vriendje.
Ik heb leuke vriendinnen, maar ik wil ook graag aandacht van mannen. Ik wil dat een jongen me het mooiste meisje vindt van de hele wereld.
En vervolgens moet hij me zoenen. Niet zomaar een kusje op de wang, maar een echte tongzoen.

Op jacht
En daarom ga ik op jacht. Op zoek naar een knappe jongen die mijn nieuwe vriend kan worden. Dat is nog best lastig. Ik ga met een vriendin naar de kroeg. Ik zie er leuke jongens, maar ik weet niet wat ik tegen ze moet zeggen. Ik vind het moeilijk om ze te versieren.

Eerlijk
Uiteindelijk besluit ik om maar gewoon te zeggen wat ik denk. Ik loop naar een leuke jongen toe, en zeg: 'Ik moet het even kwijt, maar jij bent echt de allerleukste jongen in deze kroeg.' Hij kijkt me verbaasd aan. 'Dankjewel', stottert hij. Daarna kijken we elkaar een beetje suf aan: er gebeurt helemaal niks! 'Nou, oké, doei!', roep ik dus maar.

Stom

Teleurgesteld ga ik weer bij mijn vriendinnen staan. 'Ik schaam me dood, hij vindt me vast heel stom.' 'Welnee, joh!', roepen ze. 'Hij kijkt nu de hele tijd naar je.' Als ik me omdraai, zie ik het inderdaad. De jongen verliest me geen moment uit het oog.

Zoenen

Ik spring de dansvloer op en begin te dansen. Ik pak zijn handen, en trek hem mee: 'Kom op, dansen!' Hij laat zich meesleuren, en we swingen erop los. En dan, opeens, staan we te zoenen. Een echte tongzoen. En het is heerlijk. Straks mag hij zeggen dat ik het allermooiste meisje van de wereld ben ...

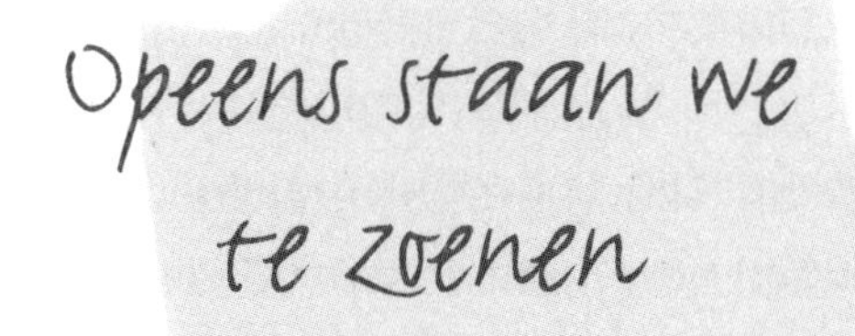

4 | Sms

Ik vind een jongen leuk. Want hij is de grappigste, de liefste en een lekker ding. Daarom stuur ik hem sms'jes. Er is alleen één probleempje: hij sms't me niet terug. Of hij stuurt pas na een heel lange tijd een berichtje. Zoals nu: ik heb hem een uur geleden een sms gestuurd, en hij heeft nog steeds niet gereageerd. Dus ik zit al een uur in de stress.
Ik kan alleen maar aan die ene jongen denken.
Ik baal omdat hij niks van zich laat horen. Hij vindt me toch nog wel leuk?

Afleiding

'Je moet afleiding zoeken', zegt een vriendin. 'Zodat je niet aan hem denkt.' Dus verschoon ik de kooi van mijn konijn, stofzuig mijn kamer en doe de afwas. Daarna kijk ik snel op mijn mobieltje: hij heeft nog steeds niks terug ge-sms't. 'Jongens houden niet van sms'en', zegt mijn vriendin. 'Misschien heeft hij je sms nog helemaal niet gelezen, omdat hij druk bezig is.' Dat hoop ik. Want nu begint het wel erg irritant te worden. Ik bedenk nieuwe dingen om even niet aan die jongen te denken. Ik ga de stad in met een vriendin. Ik kijk een aflevering van *Expeditie Robinson*.

Een reactie!
En dan, heel veel uren later, hoor ik mijn mobieltje piepen. De leuke jongen heeft gereageerd! Hij heeft mij een sms teruggestuurd! En het is ook nog eens een heel lief sms'je. Snel schrijf ik hem een berichtje terug. Als ik hem verstuurd heb, blijft het heel lang stil. O nee! Nu begint het wachten weer van voren af aan! Jongens kun je misschien maar beter helemaal niet sms'en ...

Vindt hij me nog wel leuk?

5 | Enge film

Ik heb je toch verteld over die nieuwe jongen, met wie ik sms? Laatst stelde hij me een belangrijke vraag: 'Wil je een film komen kijken?' Ik knikte. Natuurlijk! 'Ik zoek een leuke film uit', zei hij. Ik deed mijn mooiste kleren aan en nam een zak chips mee. Want een film kijken zonder chips kan niet.

Point Break

'Wat zie je er mooi uit', zegt De Leuke Jongen als ik voor zijn deur sta. 'Dank je', fluister ik verlegen, en ik stap zijn huis binnen. 'We gaan *Point Break* kijken', zegt hij, en hij laat me de dvd-hoes zien.

Dode mensen

Ik schrik: op de hoes staat een kijkwijzer van 16 jaar en ouder. Dat betekent dat *Point Break* een enge film is. En ik kan niet tegen enge films.

Ik durf niet te kijken

Soms vind ik *Goede Tijden, Slechte Tijden* al zo eng dat ik vanachter een kussentje naar de tv gluur. En in films voor 16 jaar en ouder is veel bloed te zien, en dode mensen. Ik weet nu al dat ik deze film helemaal niet wil zien.

Handig

'Dit is mijn lievelingsfilm', zegt hij. Ik slik, laat ik maar niet zeggen dat ik deze film eigenlijk niet durf te kijken. Als ik naast hem op de bank zit, pak ik zijn arm vast. Dat is dan weer handig aan enge films: je kunt lekker dicht tegen elkaar aankruipen.

Zoenen

Als de eerste mensen in de film doodgeschoten worden, doe ik mijn ogen stijf dicht. De Leuke Jongen slaat zijn arm om me heen, en ik ruik zijn geur. Als de film is afgelopen, zoenen we. Hij pauzeert even en kijkt me vragend aan: 'Vond je het een goeie film?' Ik knik verliefd. 'Héél goed ...'

6 | Niet op mij

Ik had het nooit verwacht, maar ik werd verliefd op iemand anders dan mijn Eerste Grote Liefde. Je weet wel, die ene waar ik zoveel liefdesverdriet over had. Ik kon me niet voorstellen dat ik iemand zou vinden die me net zo hard aan het lachen kreeg, me net zo goed begreep, of die net zo lekker kon zoenen als hij. Maar het was me toch gelukt.

Verkering

Het was alleen een beetje moeilijk om te merken of hij mij net zo leuk vond als ik hem. Ik bedoel, hij kuste me wel, en hij wilde vaak met me afspreken. Maar hij had nog nooit gezegd dat we vriendje en vriendinnetje waren. Hij zei nooit: 'En nu hebben we verkering.'

Bos

Dus deed ik extra mijn best om hem voor me te winnen. Ik trok altijd mooie kleren aan, deed een lekker luchtje op, en schoor mijn okselhaar. Ik boekte zelfs een weekendje weg: in een hut in de bossen. Want hij hield veel van het bos, dat had hij verteld. Om hem met het weekendje te verrassen, kocht ik een mooie kaart en plakte er boomblaadjes op.

Leuk

Met een trots gezicht gaf ik hem de kaart. Hij keek niet blij. Hij keek zelfs een beetje ongemakkelijk. 'Leuk, hoor', zei hij toen. Ik had verwacht dat hij me in de armen zou vliegen. Ik had gehoopt dat hij een vreugdedansje zou maken. Maar niet dat hij alleen maar 'Leuk, hoor', zou zeggen.

Zenuwachtig

Hij legde de kaart op tafel. 'Rhijja', zei hij. 'Hoe denk jij eigenlijk over ons?' Nu werd ik zelf een beetje ongemakkelijk. 'Nou, heel goed!', riep ik dus maar. 'Ik ben verliefd op je geworden.' Ik kneep mijn billen samen. Nu was ik pas echt zenuwachtig.
Hij keek me aan. 'Ik eigenlijk niet echt op jou. Sorry.'

Huilen

Ik griste woest de kaart van tafel. Mijn jas trok ik zo hard van de kapstok dat hij omviel. Hij liep me achterna en nam me in zijn armen. 'Rhijja, wacht. Ik kan je zo niet laten gaan.' 'Nee!', riep ik, en ik duwde hem van me af. Ik liet de deur keihard achter me dichtknallen. Op straat begon ik te huilen. Heel hard, met veel snot. Mensen keken me raar aan. En zagen hoe ik de kaart in een vuilnisbak gooide.

7 | Borsthaar

Het afgelopen jaar was misschien wel het slechtste liefdesjaar voor mij. Oké, ik heb mijn liefdesverdriet overleefd. En ik ben stiekem zelfs al verliefd geworden op andere jongens dan mijn ex. Maar één probleempje: ze waren niet verliefd op mij. En daar word ik knap verdrietig van. En een tikkeltje wanhopig ook. En jongens houden niet van wanhopige meisjes.

Nico

Dus daarom heb ik een goed voornemen voor het nieuwe jaar: ik ga me op iets anders richten dan mannen. Want waarom heb je mannen eigenlijk nodig?

Jongens houden niet van wanhopige meisjes

Leuke dingen kan ik ook met mijn vriendinnen doen. Knuffelen doe ik gewoon met mijn moeder. Ik ga me vanaf nu richten op de enige man in mijn leven: mijn konijn Nico.

Baaldag

Nico is er altijd voor me als ik een baaldag heb. Hij onderbreekt me nooit als ik een verhaal vertel. Ik mag gewoon naar hem kijken als hij zit te poepen. En – ook heel belangrijk – hij heeft heel veel borsthaar. En ik ben gek op borsthaar. Geloof me: als je een keer een vriendje met borsthaar hebt, wil je nooit meer iets anders. Als ik met mijn vingers door borsthaar kroel, ben ik intens gelukkig. En Nico vindt dat best.

Zoenen

Het enige vervelende is dat je met een konijn niet echt kunt tongzoenen. Maar als je al zo'n perfecte vent hebt, moet je daar niet moeilijk over doen. En heel misschien, als ik zo druk met Nico bezig ben, wandelt er opeens een man voorbij die straalverliefd op mij wordt. Dat hoop ik dan maar ...

8 | Je eerste drol

‘Meisjes poepen niet’, zegt een vriend van mij. Hij kijkt er heel serieus bij, dus volgens mij meent hij het. Natuurlijk vind ik dit grote onzin. ‘Ik leg elke dag twee dampende drollen’, zeg ik daarom. ‘En tussendoor laat ik ook scheetjes. Van die vieze zachte.’ Mijn vriend kijkt me met een vies gezicht aan. ‘Too much information!’, roept hij.

Niet sexy

Ik snap er niks van. Waarom willen mannen geloven dat hun liefje niks laat floepen? Ik ben gek op verhalen en grappen over poep. Al moet ik toegeven dat het best eng is om je eerste drol te leggen bij je vriendje thuis. Maar soms kan het gewoon niet anders. Als je moet, dan móet je. Aan de andere kant wil je natuurlijk zo charmant mogelijk zijn voor je lover. En een stinkend hoopje vinden mannen niet echt sexy.

Deodorant

Daarom speciaal voor de vrouwen een lesje ‘Hoe leg ik mijn eerste drol bij mijn geliefde?’

- Gebruik een smoes als je naar de wc gaat. Zeg bijvoorbeeld: 'Ik moet even mijn make-up bijwerken', zodat je schatje weet dat je iets langer wegblijft.

- Zodra je een poepje hebt gedaan, spoel dan meteen door! Op deze manier zorg je dat het zo min mogelijk stinkt.

- Zorg dat je een busje deodorant bij je hebt, voor het geval er geen luchtverfrisser aanwezig is. Spuit hiermee flink in het rond, óók op jezelf, zodat de stank niet in je kleren gaat zitten.

- Vraag je geliefde van tevoren of hij nog moet plassen. Zo voorkom je dat hij na jou naar de wc moet, en in je bruine wolk loopt.

- Kom met een glimlach terug bij je schatje. Zo kunnen mannen nog even verder dromen over niet-poepende vrouwen.

9 | Ex-vriendje

Mijn ex en ik hadden vijf jaar lang een relatie. Zoals je weet, werd ik op het eind keihard gedumpt. Hij wilde graag vrienden blijven. Ik niet, want eerst moest ik over hem heen komen. Na mijn liefdesverdriet wilde ik hem weer zien. Want er zijn weinig mensen die me zo goed kennen als hij, en dat is fijn aan een vriendschap.

Niet zoenen

Maar het was niet zo makkelijk om vrienden te zijn. Ten eerste mag je niet meer met elkaar zoenen. Want met mijn andere normale vrienden zoen ik ook niet. Toch was dat lastig. Mijn ex is een goede zoener. Maar ik hield vol!

Nieuwe liefde

Toen kwam het volgende probleem: mijn ex kreeg een nieuw vriendinnetje. Toen hij vertelde dat hij verliefd op haar was, voelde ik een steek in mijn buik. Want vroeger was hij zo dol op míj. En ik wilde stiekem eerder een nieuw liefje vinden dan mijn ex. Toch bleven we elkaar zien.

Slaan

Toen ik zelf een jongen aan de haak sloeg, was mijn ex heel erg blij voor me. Dat vond ik zó lief. Stel je voor dat hij mijn nieuwe vriendje in elkaar wilde slaan. Of zo jaloers was dat hij niet meer met me om wilde gaan.

Single

Nu zijn mijn ex en ik allebei weer single, en we steunen elkaar als we een blauwtje hebben gelopen. Dan zegt hij: 'Die jongen is gék als hij jou niet wil. Jij bent zo leuk!' En dan zeg ik: 'Dat meisje weet niet wat ze mist!' Dan kijken we elkaar tevreden aan, en denk ik: ik ben blij dat jij mijn ex-vriendje bent.

Het was niet makkelijk om vrienden te zijn

---

10 | Wel of geen date?

Hij sms'te me opeens: 'Het zonnetje schijnt! Zullen we de eendjes gaan voeren?' Wauw, nooit gedacht dat deze jongen mij leuk zou vinden. Snel tikte ik een berichtje terug: 'Ik kan nu niet. Maar zullen we vanavond een film kijken?' Dat leek hem wel leuk.

Opruimen

Als een gek begon ik mijn huis op te ruimen. Mijn konijn Nico was verbaasd dat zijn kooi weer een keer verschoond werd. Ik ging onder de douche en trok een leuk jurkje aan. Daarna ging ik op de bank zitten wachten.

Niet romantisch

Hij was te laat. Eindelijk ging de bel. Snel deed ik de deur open. Daar stond hij in zijn ouwe kloffie.

Hij had zich niet leuk aangekleed

Hij had zich niet leuk aangekleed. En hij had geen lekker luchtje op gedaan.
'Patatje halen?', vroeg hij. Dat klonk niet romantisch.
Toch zei ik 'ja'. Want laten we wel wezen, patat is lekker.

Glas water

Toen we klaarzaten voor de film, haalde ik een fles wijn tevoorschijn. 'Speciaal gekocht', zei ik trots.
'Mwah, doe maar een glas water', zei hij. De film begon. Ik wilde het liefst tegen hem aankruipen.
Dan kon hij lekker door mijn haar kroelen. Maar ik durfde niet... En hij zat met zijn armen over elkaar.

Snel weg

Ik hoopte dat we na de film zouden kletsen. Of nóg een film zouden kijken. Maar daar had hij geen zin in. 'Ik moet morgen vroeg op.' En hij vertrok.
Om halftien was ik weer alleen. Met een volle fles wijn, een lege zak patat en een verward hoofd.
Ik snap soms echt niks van mannen.

11 | In je blootje

Toen ik voor het allereerst in mijn blootje ging bij mijn vriendje, scheet ik in mijn broek. Niet letterlijk gelukkig, want als je bloot bent heb je geen broek aan, en vallen al je drollen op de grond. Maar ik vond het wel heel erg eng.

Kleine borsten

Ik vind mezelf niet lelijk, maar ik was bang dat hij mijn borsten te klein zou vinden. Ik ben namelijk geen Pamela Anderson, en ik dacht dat mannen het liefst heel grote borsten wilden. Maar als je een vriendje hebt, is het uiteindelijk toch de bedoeling dat je met je billen bloot gaat. Anders kun je nooit met elkaar vrijen, en dat zou jammer zijn.

Erwtjes

Ik wist dus wel dat het echt moest gebeuren, maar ik vond het zó griezelig. Stel je voor dat mijn vriendje zou afknappen op mijn kleine borsten. Of dat hij me zelfs zou uitlachen, en heel hard zou roepen: 'Wat een erwtjes op een plankje!' Daarom bleef ik altijd heel diep onder de dekens. Of ik deed het licht uit voordat ik me uitkleedde.

Armen weg

Maar daar trapte mijn vriendje op een gegeven moment niet meer in. 'Waarom doe je zo verlegen?', vroeg hij toen we in bed lagen. 'Omdat ik bang ben dat je me niet mooi vindt', piepte ik, en ik hield mijn armen voor mijn borsten. Hij werd bijna boos. 'Lieverd, wat een onzin! Ik vind je prachtig!' Hij haalde mijn armen voor mijn borsten weg. 'En deze zijn helemaal perfect. Ze gaan nooit hangen en zijn zo mooi, alsof ze bij een beeld horen.'

Showen

Even wist ik niet wat ik moest zeggen, zo verbaasd was ik. 'Je vindt ze mooi?', vroeg ik. Hij knikte driftig. 'De mooiste tieten van de wereld', zei hij. Daar moest ik van blozen. Dankzij dit eerste vriendje ben ik heel erg trots op mijn lijf. Vooral op mijn borsten. Dus als je twijfelt over je lijf, geef ik dit advies: show het aan je liefje. Wedden dat je je erna stukken beter voelt?

12 | Ruzie

Mijn vriendin Olga heeft ruzie met haar vriend. Hij is boos op haar. De avond begon leuk. Olga ging met haar vriend mee naar een feestje bij zijn vrienden. Het was erg gezellig, totdat Olga opeens een vieze, zachte scheet liet. Dat vond haar vriendje niet leuk. Nu belt ze me op voor goede raad.

Balkon

'Kon je niet zeggen dat het iemand anders z'n scheet was?', vraag ik. 'Nee! Dat probeerde ik, maar ze geloofden me niet. Ze vluchtten allemaal naar het balkon. En eentje begon met deodorant rond te spuiten.' Nu moet ik echt keihard lachen.

Riool

Olga vindt dat niet leuk. Ze wil niet dat ik haar uitlach, ze wil advies. 'Hoe kan ik dit nou goedmaken?', piept ze. Ik denk diep na. Eerlijk gezegd zie ik niet zo'n probleem. Scheten laten is gezond. En nog grappig ook. 'Stonk het erg?', vraag ik. 'Ja, het was net een riool.'

Cadeautje

Dan weet ik de oplossing. 'Zeg gewoon sorry tegen je vriend. Hij zit waarschijnlijk altijd op te scheppen bij zijn vrienden over jou. En dan laat je opeens een vieze ruft. Ik snap wel dat hij zich dan een beetje schaamt. En geef zijn vrienden een cadeautje, zoals een nieuwe bus deodorant.'

Relatieproblemen

'Wat een goed idee van jou!', roept Olga. 'Ik ga het meteen doen.' 'En Ol!', gil ik in de telefoon. 'De volgende keer gewoon even naar de gang lopen als je een scheet moet laten!' Tevreden hang ik op. Laat relatieproblemen maar aan mij over.

Ik snap wel dat hij zich schaamt

---

13 | Berlijn

Niet zo lang geleden was ik op vakantie in Berlijn. Dat is de hoofdstad van Duitsland. Berlijn is de gaafste stad van de wereld. Omdat je er leuk kunt winkelen. En omdat je er interessante museums hebt. Maar vooral omdat Duitse mannen leuker zijn dan Nederlandse mannen.

Flirten

Ten eerste omdat ze meestal een baard hebben. Daar hou ik van. Ten tweede hebben ze vaak veel borsthaar. Daar hou ik nog meer van. Ten derde zijn ze meestal heel creatief. Daar ben ik dol op. Maar het is het allerfijnste dat Berlijnse mannen weten hoe ze moeten flirten op straat.

Knipoog

Flirten betekent dat je aan de ander laat merken dat je hem of haar best wel leuk vindt. Je zou ermee willen kletsen, zoenen, of zelfs seksen. Als je met iemand flirt, zoek je oogcontact, of geef je een knipoog, of lach je extra hard om zijn of haar grappen, of raak je hem of haar voorzichtig aan.

Trouwen

In Nederland vinden de meeste mannen het moeilijk om te flirten. Ze durven je soms niet eens aan te kijken als je voorbij loopt. Dan kijken ze naar de grond, of opzij. In Berlijn kijken ze je gewoon recht aan. Ze glimlachen, zeggen 'hallo'. En in het mooiste geval krijg je zelfs een knipoog. Dus ik zie mij later best trouwen met een Berlijnse man.

Missen

Toch zorgt dat voor een probleem. Berlijn is zes uur reizen met de trein. En met de auto doe je er nog langer over. En ik ben heel erg slecht in een relatie op afstand. En als ik in Berlijn ga wonen, ga ik mijn familie te veel missen.

Gelukkig

Dus mannen van Nederland, hier een dringende oproep! Zouden jullie me alsjeblieft willen aankijken als ik voorbij loop? Naar me glimlachen zou ook fijn zijn. En als jullie me dan ook nog een knipoog geven, ben ik het gelukkigste meisje van de wereld.

14 | Tongzoenen

Tongzoenen is heel belangrijk. Want als een tongzoen niet lekker is, kan dat een grote afknapper zijn. Daarom een belangrijke les over hoe je goed moet tongzoenen. Hier komt-ie:

- Bereid je goed voor! Check van tevoren of er geen eten tussen je tanden zit. En zorg voor een frisse adem. Neem bijvoorbeeld een pepermuntje, of een kauwgompje.

- Steek niet meteen je tong in iemands mond. Dat is niet lekker. Tongzoenen moet je opbouwen. Je begint met zachtjes kussen op de lippen. Die tong komt later.

Tip: Kwijl niet te veel!

- Rustig aan! Draai niet als een ventilator rondjes met je tong. Zoen langzaam en voorzichtig.

- Kwijl niet te veel. Oké, een tongzoen moet een beetje nat zijn. Maar als je een slabbetje nodig hebt, klopt er iets niet. Slik tussendoor dus ook wat speeksel door.

- Vergeet de rest van het gezicht niet. Leg bijvoorbeeld je hand op de wang van je liefje. Of aai hem/haar door het haar en druk je lijf tegen dat van hem/haar. Dat vindt bijna iedereen fijn.

- Tongzoenen doe je sámen. Wacht dus niet alleen maar af tot de ander iets doet. Maar speel zelf af en toe ook even de baas. Als het goed is, gaat het tongen uiteindelijk vanzelf.

Zoen ze!

15 | Niet grappig

Evert kon lekker zoenen. Dat was al een enorm pluspunt. En hij maakte leuke grapjes. Dat is helemaal belangrijk. We hadden al een paar dates gehad, en dat was geweldig. Dus toen hij voorstelde om een weekendje samen naar de Ardennen te gaan, zei ik meteen: 'Ja!'

Risico

We kenden elkaar natuurlijk nog niet zo goed, maar dat kon me niks schelen. Je moet soms risico's durven nemen, toch? En als het niet leuk zou worden, had ik in elk geval een goed verhaal om aan mijn vriendinnen te vertellen.
Ons hotel lag naast de snelweg. Dat was niet zo'n romantische plek. Toen we een boswandeling maakten, verdwaalden we. Ik was bang dat ik zou doodgaan van de dorst, maar dat gebeurde niet. Want na drie uur lopen vonden we ons hotel terug.

Restaurant

We gingen naar een stadje en zochten een restaurant om te eten. We bleven bij een vol terras staan en keken op de menukaart of ze lekkere dingen hadden. En toen gebeurde het.

Evert liet een keiharde, knetterende scheet. Iedereen die op het terras zat, keek naar ons. Volgens mij waren het wel honderd mensen. Honderd mensen die de scheet van Evert hadden gehoord. Ik schaamde me dood. En het ergste was nog: Evert begon trots te lachen. 'Dit vind ik echt niet normaal', zei ik, en ik liep weg. Ik wilde niet dat honderd mensen me aanstaarden. En ik wilde al helemaal niet dat ze dachten dat ík die stinkwind had gelaten.

Poep

Een paar straten verderop ging ik op een bankje zitten. Evert kwam me achterna gelopen. Hij was boos. 'Normaal vind je het altijd leuk om over poep en scheten te praten!', riep hij. 'En nu opeens vind je het stom? Dat snap ik niet.' Nu werd ik ook heel boos. 'Ja, hállo!', riep ik. 'Over scheten praten is wel iets anders dan een keiharde scheet laten naast een vol terras.' Evert schudde zijn hoofd. 'Ik snap jou niet.' En zo maakte de scheet een eind aan Evert en Rhijja. Maar ik had in elk geval een goed verhaal.

16 | Stop!

In de krant las ik dat veel jongeren wel eens iets seksueels hebben gedaan terwijl ze dit eigenlijk niet wilden. Vooral meisjes. Dat vind ik heel erg. Zoenen, voelen en vrijen is iets heel bijzonders. Dat moet je niet doen als je er niet klaar voor bent.

Tongzoen
Toen ik zeventien was kreeg ik mijn eerste echte tongzoen. Superspannend vond ik dat, en ook heel leuk. De jongen met wie ik dat deed, werd mijn eerste vriendje. Toen de relatie uitging, ontmoette ik andere jongens.

Wasmachine
In Valkenburg bijvoorbeeld, waar ik met mijn ouders naartoe ging op vakantie. Mijn zusje en ik ontmoetten een stel jongens met wie we dansten.

Het leek alsof ik een wasmachine kuste

Toen we naar een andere disco liepen, begon één leuke jongen me opeens te zoenen. Eerst vond ik het wel leuk, tot ik merkte dat hij heel slecht zoende. Het leek alsof ik een wasmachine kuste: hij draaide heel wild rondjes met zijn tong, en stonk naar bier.

Spijt

Opeens vond ik hem niet zo leuk meer. Ik duwde hem van me af. 'Nee, ik wil niet meer', zei ik. Dat vond hij niet heel erg en ik was blij dat ik gestopt was. Als ik was doorgegaan was ik over mijn grens gegaan. En waarom zou je doorgaan met het zoenen van een wasmachine? Daar had ik anders veel spijt van gehad.

Stop

Dus wat ik wil zeggen: geef je grens aan. Je hoeft je niet te schamen. Wees niet bang dat de ander je stom vindt omdat je niet met hem/haar wilt zoenen of vrijen. Als hij/zij jou écht leuk vindt, zal hij/zij er geen probleem van maken. Je hoeft ook nooit te denken: ja, nu zijn we al zo ver, nu kan ik niet meer terug. Want je kunt altijd terug. Het enige wat je hoeft te zeggen is: 'Stop!'

17 | Single in december

December kan een rotmaand zijn. Natuurlijk is het fijn om cadeautjes te krijgen met Sinterklaas, of met Kerst. En Oud en Nieuw is meestal gezellig. Maar als je single bent, kun je de decembermaand ook haten.

Leeg bed

Het is koud, je moet dikke kleren aan. En je kruipt het liefst tegen een vriendje of vriendinnetje aan. Maar dat kan niet, want dat heb je niet. Op deze momenten kan je bed extra koud en leeg aanvoelen.

Feestdagen

En dan de feestdagen. Het is niet leuk om je familie te zien als iedereen een geliefde meeneemt.
Dan is het extra vervelend dat jij géén leuk vriendje of vriendinnetje hebt met wie je naar je familie kunt gaan. Je voelt je extra alleen, en daar kun je verdrietig van worden.

Geld

Gelukkig zijn er ook redenen om je wél blij te voelen. Doordat je vrijgezel bent, hoef je bijvoorbeeld niet verplicht bij je schoonfamilie op bezoek.

Sommige mensen zien hier erg tegenop, en moeten in december wel drie keer naar hun schoonfamilie! Dat je dat niet hoeft, scheelt ook nog eens veel geld. Want je hoeft niet voor iedereen een cadeautje te kopen. Dit geld spaar je allemaal uit.

Vrienden
In plaats daarvan kun je lekker met je vrienden Sinterklaas vieren. Of je organiseert op Tweede Kerstdag een Single Bells-diner. Je nodigt alleen je vrijgezelle vrienden uit, zodat je elkaar een beetje kunt steunen. In december worden heel veel feesten georganiseerd, zoals met Oudejaarsavond. En wie weet, ontmoet je daar wel iemand op wie je opeens heel erg verliefd wordt ...

Met Kerst voel je je extra alleen

---

18 | Ontmaagd

Ik baalde als een stekker: ik was zeventien jaar, en nog niet ontmaagd. Ik had nog niet eens een vriendje! Sommige vriendinnen waren allang met een jongen naar bed geweest. Eentje was daar niet blij mee: 'Ik heb spijt', zei ze. 'Het deed pijn. Ik wou dat ik langer had gewacht.'

Kaarsjes

In tijdschriften las ik vaak over 'de eerste keer'. Over een meisje dat door haar vriend naar het bed gedragen werd. Dat er romantische muziek op stond en overal kaarsjes brandden. Zo wilde ik het ook. En opeens kreeg ik mijn allereerste vriendje.

Zenuwachtig

Ik wilde niet meteen met hem naar bed. Want je kunt maar één keer in je leven ontmaagd worden. En je moet 'het' pas doen als je je helemaal op je gemak voelt bij je liefje. Na zeven maanden was ik er klaar voor. Ik zette een liefdesliedje op en stak heel veel kaarsjes aan, en we kusten. Opeens stopte mijn vriendje. 'Wat is er?', vroeg ik. 'Ik kan het niet', antwoordde hij. 'Met al die kaarsjes en zo.'

Ik ging rechtop zitten. 'Ja, maar dit is mijn eerste keer', zei ik. 'Ik wil kaarsjes aan. Het moet perfect zijn.'
Mijn vriendje wees op zijn penis: 'Hij wil niet, ik ben te zenuwachtig.' Teleurgesteld blies ik de kaarsjes uit.

Twintig jaar
Uiteindelijk ging het uit zonder dat ik door hem ontmaagd was. Dat vond ik jammer. Nu moest ik weer wachten tot ik een nieuwe vriend had. Die kreeg ik, toen ik twintig jaar oud was. Hij was zelf geen maagd meer. Dat vond ik wel fijn: hij had in elk geval geen last van zenuwen.

Wachten
Na een paar maanden gebeurde het opeens. Ik had er op dat moment niet eens echt op gerekend. Snel keek ik opzij. Gelukkig, er brandde een kaarsje, en er stond een romantisch muziekje op. Ik was misschien ouder dan mijn vriendinnen bij mijn ontmaagding, maar het was perfect. En zeker het wachten waard.

19 | Koppelen

Internetdaten, daten via Hyves, speeddaten, ik had het allemaal al gedaan. Nu was het tijd voor een ándere manier van daten. Ik wilde dat een vriendin me zou koppelen. Aan iemand die ze zelf ook kende. Een soort blind date dus. Maar ook niet helemaal, want ik vertrouwde mijn vriendin. Ze zou echt geen onaardige man voor me uitzoeken. Of een saaie man. 'Wil je me koppelen aan een vriend van je?', vroeg ik haar. 'Ja, natuurlijk!', riep ze blij.

Zenuwachtig

Ze had bedacht dat ik op date moest met haar goede vriend Mark. 'Hij is knap, en grappig en creatief', zei ze. Perfect, dacht ik. Toch was ik erg zenuwachtig voor onze date. Stel je voor dat ik hem tóch stom vond. Maar toen hij eindelijk binnenkwam, was ik blij: Mark zag er goed uit.

Naakt

We kletsten de hele tijd, en er viel geen pijnlijke stilte. 'Wat is het raarste dat je meemaakte bij een date?', vroeg ik. Hij dacht even na. 'Ik ging met een meisje naar mijn huis', vertelde hij. 'Want ik moest even een ander T-shirt aantrekken.

Toen ik weer beneden kwam, lag ze naakt op mijn tapijt. Dat vond ik wel leuk.' Ik slikte. Wat een raar verhaal. Maar ja, ik vroeg er zelf om.

Ander T-shirt

Mark stond op. 'Zullen we gaan dansen in een café?' Ik knikte blij. 'Ik moet alleen wel even langs huis om een ander T-shirt aan te trekken', zei hij. Ik ging met hem mee naar huis. 'Ik ben zo terug', zei Mark, en hij ging de trap op, naar zijn slaapkamer. Ik keek naar het tapijt. Dacht hij nu echt dat ik daar nu in mijn nakie op ging liggen? Daarom bekeek ik maar wat foto's aan de muur. Mark kwam weer beneden in een ander T-shirt. Hij keek een beetje teleurgesteld.

'Hoe was de date?', vroeg mijn vriendin de volgende dag. 'Mark is aardig', zei ik. 'Maar toch niet helemaal mijn type ...'

20 | Goede voornemens

Eigenlijk doe ik niet aan goede voornemens. Want die mislukken toch altijd. Ik wilde bijvoorbeeld drie keer per week sporten. Lukte niet. Ik wilde elke dag een goede daad doen. Ook mislukt. En ik heb het ook niet voor elkaar gekregen om mijn windjes naar parfum te laten ruiken.

Maagd

Toch denk ik dat er één voornemen is dat moet lukken: luisteren naar je eigen gevoel. Dat is soms best moeilijk. Toen ik Dr. Love was voor TMF, kreeg ik veel mailtjes van tieners met problemen.

Als hij je écht leuk vindt, dan wacht hij wel

Eén meisje schreef dat ze heel verliefd was op een jongen. Hij vond haar ook leuk, en ze hadden gezoend. Hij wilde met haar naar bed. Maar zij was maagd, en wilde nog even wachten.

Kwijtraken

'Wat moet ik doen?', schreef ze. 'Als ik niet met hem naar bed ga, raak ik hem vast kwijt.' Ik vond dat heel zielig. 'Als hij je écht leuk vindt, dan wacht hij wel', schreef ik terug. 'Blijf naar je gevoel luisteren. Voelt het niet goed? Niet doen.'

Gevoel

Veel jongeren zijn bang dat ze hun lover verliezen als ze dit of dat niet doen. Dat is grote onzin. Als iemand van je houdt, kun je helemaal jezelf zijn bij hem of haar. Dan hoef je je niet anders voor te doen. Dus als ik je de allerbelangrijkste liefdestip mee mag geven voor het nieuwe jaar: blijf dicht bij je gevoel. Dat is soms moeilijker dan je denkt. Maar toegeven aan iets wat je niet wilt, voelt nóg rotter.

21 | Help! Ik ben verliefd

Verliefd zijn is heerlijk. Maar ook verschrikkelijk: het maakt je namelijk ook erg onzeker. Je zit met veel vragen. Vindt hij/zij me net zo leuk als ik hem/haar vind? Zal mijn nieuwe liefje niet op me afknappen? Omdat ik bijvoorbeeld iets doms zeg of omdat er stiltes vallen?

Verkering

Ik ben verliefd. Op zijn lach, op zijn grapjes, op zijn donkerbruine ogen, op zijn gevoeligheid, op zijn mannelijkheid, op zijn lichaam. En vind het doodeng. Ik word er zo onzeker van, dat ik mezelf er helemaal gek mee kan maken. Bij date nummer drie vroeg hij me al om verkering. Daar schrok ik van. 'Nu al?', riep ik verbaasd. Hij werd verlegen: 'Of over twee maanden.' Ik lachte: 'Oké, dat is goed.'

Genieten

De onzekerheid bleef. Ik was namelijk een beetje bang dat hij me uiteindelijk zou dumpen. Of toch niet echt verliefd zou zijn, zoals andere mannen. 'Ik kap ermee!', riep ik tegen een vriendin. 'Ik word hier alleen maar gestrest van.' 'Niet doen', zei ze boos. 'Hij is leuk, hij vindt jou leuk, je moet genieten.'

En toen begon ik ermee, met genieten. Ik genoot als we naar de film gingen, als we 's nachts door Amsterdam wandelden en als ik door zijn borsthaar kroelde.

Durf niet

Eigenlijk wilde ik hém nu om verkering vragen. Maar ik durfde niet. We aten samen, en ik vroeg niks. We gingen wandelen, en ik vroeg niks. Toen we weer thuis waren, dronken we wijn. Doodzenuwachtig was ik. En toen vroeg ik het: 'Hebben we nou verkering?' 'Ja', zei hij meteen. En dat was dat.

Ik was bang dat hij me zou dumpen

22 | Nico en de mannen

Mijn konijn Nico zie ik als mijn zoon. Ik kocht hem via Marktplaats toen hij nog maar een baby'tje was. Inmiddels is hij vier jaar oud. En hij heeft al heel wat vriendjes zien komen en gaan. Het gekke is: volgens mij is hij jaloers.

Bijten

Want elke keer als er een man bij me is, wordt Nico agressief. Hij breekt zijn kooi af en knaagt alles kapot. Ook springt hij op schoot bij de man, om in zijn kleren te bijten. Ik vind dat niet netjes van hem.

Interesse

Toch let ik dan heel goed op: hoe reageert mijn nieuwe liefje hierop? Duwt hij Nico weg?
Of probeert hij vrienden met hem te worden?

Als je verkering met mij wilt, dan krijg je mijn konijn erbij

---

Want als je verkering met mij wilt, krijg je Nico erbij. Mannen die erg aardig zijn voor Nico vind ik dan ook meteen heel lief.

Leeftijd

Laatst zat er een leuke jongen bij me op de bank. Hij aaide Nico en vroeg hij hoe oud hij was. 'Vier', zei ik. De jongen keek verbaasd. 'Hoe oud kunnen konijnen eigenlijk worden dan?' Ik keek hem giftig aan. 'Hoezo? Denk je dat hij al bijna doodgaat of zo?' 'Nee, nee, ik vroeg het me alleen af. Vier jaar klinkt zo oud', piepte de jongen. Maar het was al te laat. 'Konijnen kunnen wel tien jaar worden. Nico is nog niet eens op de helft', zei ik chagrijnig.

Konijn

Intussen begon Nico opeens wild in de trui van de jongen te graven. Ik gaf hem groot gelijk. Na deze date heb ik de jongen nooit meer gezien. En opeens snap ik waarom ik geen vriendje heb. Het komt allemaal door mijn konijn. Want Nico wil mij helemaal voor zichzelf hebben.

23 | Koosnaampjes

Toen ik voor het eerst verkering had, verzonnen mijn vriend en ik koosnaampjes voor elkaar. Het begon met: lieverd, schatje, lekkertje, lekker ding, lief, knappert, mooi meisje. Daarna werd het origineler: gup, druifje, Miss Hardbody, juweel, beest, kipje ...

Moppie

Op een gegeven moment wist ik niks nieuws meer. We hadden alles al een keer gezegd. Totdat me iets te binnen schoot: moppie. Dus schreef ik in een sms: 'Hey, moppie.' Mijn vriendje schreef terug: 'Nee! Geen moppie!' Hu? Wat had ik verkeerd gezegd? 'Ik vind dat zo stom klinken, alsof we Sjonnie en Anita zijn', vond mijn vriendje. Oké ...

Bijnaam

Hij is niet de enige die een bepaalde bijnaam haat. Zo kan mijn vriendin Olga er niet tegen als haar vriend haar 'lief' noemt. Ik snap dat niet, daar is toch niks mis mee? 'Ik heb ook een vreselijke gehoord!', riep een ander: 'Een vrouw heeft een relatie met een man die Art heet. En die noemt ze steeds "Artekind". Vréselijk!'

Boterbloempje

'Maar hoe noemen jullie je vriendje dan?', vroeg ik mijn vriendinnen. 'Geile tulp', zei de een. 'Boterbloempje', zei de ander. 'Ik noem mijn vriend eigenlijk altijd moppie', zei de derde. Moppie? Zo zie je maar. Het maakt niet uit wat voor koosnaampje je gebruikt. Want als de leukste, liefste, en mooiste op de wereld het zegt, ben je zelfs blij als je 'kontkrummeltje' wordt genoemd.

Mijn vriendin noemt haar vriendje 'geile tulp'

---

24 | Stinkende vriend

Mijn vriendin Olga had een groot probleem. Ze had een leuke jongen leren kennen. En ze hadden met elkaar gezoend. Ze waren zelfs met elkaar naar bed geweest. En daar begon het probleem van Olga: hij stonk. Of om nog duidelijker te zijn: zijn piemel stonk. En Olga wist niet wat ze daaraan kon doen.

Bunzing

'Ik vind het zo vies!', riep ze, toen we samen in de kroeg zaten. 'Het is een echte bunzinglucht.' Ik weet niet hoe een bunzing ruikt, maar hij stinkt vast heel erg. 'Toen hij in zijn blootje was, rook ik het al van twee meter afstand', klaagde Olga verder. 'Ik moest er bijna van kotsen.'

Hartstikke leuk

Ik vond het een lastig probleem. Want als iemand stinkt, kun je er eigenlijk ook niet echt mee vrijen. Je kunt afknappen op de stank. 'Kun je hem niet gewoon dumpen?', vroeg ik. Ze schudde haar hoofd. 'Het stomme is, ik vind hem voor de rest echt hartstikke leuk. Alleen die stinkpiel houdt me tegen.'

Gekwetst

'En als je dat nu gewoon tegen hem zegt?', probeerde ik. Olga kreunde: 'Dat durf ik niet. Straks is hij helemaal gekwetst.' Tja, het is natuurlijk nooit leuk om te horen dat je stinkt. Maar aan de andere kant is het ook niet leuk als iemand je dumpt zonder dat je weet wat de reden is.

Barkeeper

Ik dacht diep na. Toen wees ik op de barkeeper. 'Hij is een man, laten we het aan hem vragen. Misschien weet hij raad.' De barkeeper luisterde naar het verhaal van Olga. Hij fronste zijn wenkbrauwen, hij vond het ook een moeilijk probleem. 'Kun je niet gewoon samen met hem gaan douchen', zei hij uiteindelijk. 'Dan schrob je zijn penis extra goed, en dan zeg je: "Wauw, wat is hij heerlijk schoon!" Hopelijk snapt hij die hint.' Dus dat heeft Olga uiteindelijk gedaan. En het hielp! Al zou het fijner zijn als alle mannen en vrouwen sowieso goed hun geslacht schoonmaken. Dat scheelt een hoop gedoe.

25 | Vlinders

Vroeger werd ik heel snel verliefd. Op de gymleraar bijvoorbeeld. En op de wiskundeleraar. Op de populairste jongen van de klas, en zelfs op Adriaan van 'Bassie en Adriaan'. Ze zorgden ervoor dat ik zweefde. En als ik ze zag, kon ik geen woord uitbrengen. Nu ik geen tiener meer ben, vind ik verliefd worden wat moeilijker.

Vlinders

Want wanneer ben je eigenlijk verliefd? 'Als je vlinders in je buik voelt', zegt de ene vriendin.

Wanneer ben je eigenlijk verliefd?

Als je de hele tijd aan hem denkt en bij hem wilt zijn', zegt de andere. 'Wanneer je heel erg blij van hem wordt. En als je de hele tijd liedjes zingt.'

Jongen

Ik heb een Heel Leuke Jongen ontmoet. En hij heeft tegen mij gezegd dat hij verliefd op me is. Ik schrok hier een beetje van. Want ook al vind ik hem heel erg leuk, ik ben nog niet zo verliefd als hij. En hoe weet ik eigenlijk of ik verliefd ben?

Nog niet

Ik probeer het bij mezelf te checken: ik voel soms kriebels in mijn buik. Ik word heel erg blij van hem. Ik wil zo vaak mogelijk bij hem zijn, en denk de hele tijd aan hem. Ik zing niet de hele tijd liedjes, maar dat hoeft toch ook niet? Misschien ben ik toch wél verliefd. Of ben ik het in elk geval aan het worden. Maar dat ga ik 'm nog niet vertellen. Nog niet ...

26 | Weekendje weg

Ik ging voor het eerst een weekendje weg met mijn nieuwe liefde. We kenden elkaar nog maar anderhalve maand, maar dat kon me niks schelen. Ik wilde weg, met hem. We besloten naar Marrakech te gaan. Dat ligt in Marokko. Het leek me superromantisch om hand in hand door de straatjes te slenteren.

Typisch Marokkaans

Toen we op het vliegveld aankwamen, gingen we eerst iets eten. Mijn lover probeerde meteen een typisch Marokkaans gerecht. Ik nam gewoon een stuk pizza. Even later namen we een taxi die ons naar het hotel zou brengen.

Buikpijn

De rit in de taxi duurde lang omdat we in een enorme file kwamen te staan. Opeens zei mijn schatje: 'Ik heb last van mijn maag.' Hij kromp ineen, het was een ontzettend zielig gezicht.
'Moet je poepen?', vroeg ik voorzichtig. 'Eigenlijk wel', mompelde hij. 'Volgens mij is die Marokkaanse maaltijd niet zo goed gevallen.'

Grote boodschap

Ik vroeg aan de taxichauffeur of we konden stoppen bij een toilet. 'No toilet', zei hij. 'Misschien komen we er over tien minuten eentje tegen.' Intussen kreeg mijn vriend het steeds moeilijker. Hij hield zijn handen onder zijn billen, alsof hij daarmee de drol kon binnenhouden. Uiteindelijk riep hij: 'Zet de auto aan de kant. Ik hou het niet meer.' Vervolgens sprintte hij de bosjes in, om zijn grote boodschap te doen. De taxichauffeur en ik bleven achter.
We dachten allebei aan mijn poepende vriend.

Afknapper?

Even later kwam hij met een rood hoofd de taxi binnen. 'Gaat het?', vroeg ik. 'Was het veel?'
'Rhijja, ik wil het er niet over hebben', zei hij.
Ik snapte het best. Ga je een weekendje weg met je nieuwe liefde, krijg je onderweg last van diarree.
Maar ik knapte hier helemaal niet op af. Ik vond 'm juist nóg schattiger.

27 | Klagen

Mijn vriendin Olga is woedend op haar vriend Niels. Ik moet mijn mobiel een stukje van mijn oor af houden, zo hard schreeuwt ze. 'Hij werd kwaad omdat ik de weg niet wist', briest ze. 'En hij vond het stom dat ik mijn oksels niet goed had geschoren. Terwijl hij er zelf als een behaarde gorilla uitziet!'

Rotopmerking

Ik doe hard mijn best om haar te kalmeren.
'Hij bedoelt het vast niet zo', sus ik. 'Misschien zit hij gewoon niet lekker in zijn vel.' Maar Olga is het zat.
'Als hij nog één keer een rotopmerking maakt, als hij mij nog één keer afzeikt, dan ... dan ...' Ik wacht.
'Dan maak ik het misschien wel uit!', roept ze.

'Ik ben hem gewoon even spuugzat'

Spuugzat

Vriendinnen helpen als ze liefdesproblemen hebben, vind ik fijn. Zo laat je zien dat je er altijd voor ze bent. En het is mooi meegenomen als een ruzie wordt bijgelegd. 'Vind jij het niet gemeen dat hij zo tegen me doet?', vraagt Olga. 'Best wel', geef ik toe. 'Misschien moeten jullie elkaar even niet meer zien. Zodat jullie elkaar gaan missen. Jullie zitten te veel op elkaars lip.' 'Je hebt gelijk!', roept mijn vriendin. 'Ik ben hem gewoon even spuugzat!'

Dikke tongzoen

Dan zwijgt ze. Op de achtergrond hoor ik auto's voorbijrijden. 'Waar ben je eigenlijk?', vraag ik. Maar dat wordt snel duidelijk: een deur gaat open, en Olga's stem is van woedend veranderd in poeslief. 'Schaaatje! Hoe gaat het?' Aan de slobbergeluiden te horen geeft ze Niels een dikke tongzoen. 'Rhijja, ik moet gaan', zegt ze, en ze hangt op. Verbaasd kijk ik naar de telefoon. Weg ruzie, weg boze vriendin, en toch een raar gevoel. Ik voel me een beetje in de maling genomen.

28 | Simone

Simone en ik zaten samen in de brugklas. Ze was mijn vriendin. Maar ze was niet erg populair. Ze praatte een beetje apart, en zei heel vaak: 'Dat vind ik lullug!' Ze was ook dik, en van haar moeder moest ze heel lelijke kleren aantrekken. Zoals een zwarte panty met grote bloemen erop.

Baard in de keel

Maar ze was ook heel lief. En ik kon erg met haar lachen. Op een dag kwam ze dolblij naar me toe gelopen: 'Bas heeft me verkering gevraagd!' Ik was stomverbaasd. Bas was de oudste jongen van de klas, en ook de mooiste. Hij had als enige echt de baard in de keel. En hij sportte heel vaak, waardoor hij op een 'echte man' leek.

Verkering?

Ik kon me niet voorstellen dat die populaire Bas echt mijn vriendin Simone om verkering had gevraagd. Normaal lachte hij haar altijd uit. Maar toen ik naar hem toe ging om het te vragen, knikte hij. Simone straalde. Uiteindelijk heeft de verkering twee dagen geduurd. Want het bleek een stomme grap van Bas te zijn. Gewoon, om Simone te pesten.

Terugdenken

'Gaat het een beetje?', vroeg ik aan Simone. Ze knikte moedig, maar ik zag dat ze verdrietig was. 'Ik dacht al dat het nep was', zei ze. Af en toe denk ik nog wel eens aan Bas. En ik hoop dat het hem nooit meer gelukt is om verkering te krijgen.

Bas was de oudste jongen van de klas, en ook de mooiste

---

29 | Belangrijke woorden

Hij vond het moeilijk om het te zeggen. Ik niet. Toen we een paar weken verkering hadden, moest ik me al inhouden. Ik slikte de woorden in omdat ik bang was dat ik hem zou afschrikken. Toen we een romantisch weekendje weggingen, vond ik het helemaal moeilijk. Na drie maanden hield ik het niet meer uit. 'Ik hou van je', fluisterde ik toen ik in bed in zijn armen lag. Hij verstijfde. 'Dankjewel', zei hij.

Blij worden

Dat vond ik natuurlijk jammer. Hij had 'ik hou ook van jou' moeten zeggen. Of 'ik ook van jou'. Zelfs 'van hetzelfde' had ik goedgevonden. Maar geen 'dankjewel'.

'ik hou van je', fluisterde ik.
Hij verstijfde

Hij zei ook: 'Hoe weet je nou of je van me houdt?' 'Nou gewoon,' antwoordde ik, 'omdat ik blij van jou word. Omdat ik graag bij je ben, en omdat ik je mis als je er niet bent.' 'Aha', zei hij.

Drempel over

Natuurlijk kon ik hem niet dwingen, maar toch probeerde ik het. Als we elkaar kusten, bijvoorbeeld. 'Is er iets wat je wilt zeggen?', plaagde ik. Dan zei hij soms: 'Ik vind je lief.' Ook fijn, maar toch niet helemaal wat ik bedoelde. Het leek alsof hij over een drempel moest. Ik probeerde het nog eens: 'Hou je van me?' 'Rhijja, het moet uit mezelf komen', vond hij. Daar moest ik hem gelijk in geven.

Lepeltje-lepeltje

Op een moment dat ik het totaal niet verwachtte – we hadden een halfjaar verkering, toen we lepeltje-lepeltje lagen en ik bijna sliep –, zei hij: '... Rhijja?' 'Ja', mompelde ik. 'Ik hou van jou.' Ik zei niks en durfde hem niet aan te kijken, maar glimlachte. 'Lieffie, ik ook van jou.' Het was hem gelukt. Hij was de drempel over. En het was goed.

30 | Seksuele voorlichting

Ik heb nog nooit seksuele voorlichting gehad. Mijn moeder zei gewoon: 'Als je iets wilt weten over seks, kun je het altijd vragen.' Ik was daar wel blij mee. Want het leek me vreselijk als ze opeens een uur lang over seks en condooms zou gaan praten. Sommige vriendinnen hadden dat meegemaakt, en vonden het afschuwelijk. Want je schaamt je dood als je ouders het over seks hebben.

Veilige seks

Ik las gewoon over seks in tijdschriften. Dan bladerde ik naar de probleemrubrieken: tieners vroegen advies over ontmaagding, veilige seks, of hoe ze hun lover blij konden maken in bed. Of ik praatte erover met vriendinnen die al eens hadden getongzoend, of zelfs seks hadden gehad met hun vriendje.

Moeilijk woord

Op een keer zat ik in de auto naast mijn moeder een 'Vrijen en zo'-dossier te lezen in een tijdschrift. Allerlei problemen kwamen voorbij. Ik kwam steeds hetzelfde woord tegen, maar ik wist niet wat het betekende. Ik gluurde opzij naar mijn moeder.

Ik zou het aan haar kunnen vragen ... Ze had zelf gezegd dat ik haar altijd alles kon vragen over seks. Maar aan de andere kant: straks was het een vreselijk gênant woord, en schaamde ik me dood.

Door de grond

Ik keek nog eens goed naar het woord, en liet mijn hersens kraken. Wat kon het nou betekenen? Ik wist het echt niet. Dus raapte ik al mijn moed bij elkaar en haalde ik diep adem. 'Mama,' vroeg ik, 'wat betekent "masturberen"?' Mijn moeder keek opzij. 'Nou,' begon ze, 'dat betekent dat je aan jezelf zit. Je raakt jezelf seksueel aan, en ...' Terwijl ze verder praatte, kon ik wel door de grond zakken. Had ik het maar nooit gevraagd ...

Je schaamt je dood als je ouders het over seks hebben

---

31 | Gescheiden ouders

Toen ik één jaar was, gingen mijn ouders scheiden. Ik ging bij mijn moeder wonen. Heel lang hoopte ik dat ze weer bij elkaar zouden komen. Later niet meer. Mijn ouders haten elkaar namelijk.

Trut

Dat merkte ik vooral aan mijn vader. Hij zei namelijk lelijke dingen over mijn moeder. 'Vieze trut', en 'ze probeert mijn kinderen bij me weg te houden'. Dat vond ik natuurlijk heel rot om te horen. Misschien had hij gelijk, maar dat deed er niet toe. Ik hield van mijn vader, maar ook heel veel van mijn moeder. Dat hij haar uitschold, deed me pijn. Toch durfde ik er niks van te zeggen. Ik was pas zes jaar, dan durf je dat niet.

Minder leuk

Misschien hoopte mijn vader dat hij me aan zijn kant kreeg. Dat ik partij voor hem zou kiezen, en me zou afzetten tegen mijn moeder. Maar juist het omgekeerde gebeurde: ik vond het steeds minder leuk om bij hem op bezoek te komen.

Naar huis
Toen ik vijftien jaar oud was, was ik het zat. 'Als je nog één keer iets lelijks over mama zegt, ga ik weer naar huis', zei ik. Ik was best zenuwachtig. Mijn vader keek me aan. En toen zei hij: 'Oké.' Daarna zei hij nooit meer iets onaardigs over mijn moeder.

Weggaan
Ik was stomverbaasd. Had ik dat nou maar eerder gezegd! Ouders zouden nooit onaardig over elkaar moeten doen, tegen de kinderen. Als je ouders tóch zo dom zijn om lelijke dingen over elkaar te zeggen, doe dan gewoon wat ik deed: zeggen dat ze ermee moeten stoppen, anders loop je gewoon weg.

32 | Schoonouders

Ik zat met een megagroot probleem. Ik wist de oplossing écht niet. Het was zo erg dat ik er zenuwachtig van werd, en me geen raad wist. Want hoe moest ik de ouders van mijn vriend Tim nou noemen?

Pa en ma

Ze heten Jan en Greet. Maar zo kon ik ze natuurlijk niet noemen. Ik heb van mijn ouders geleerd dat je netjes 'u' zegt, dus dat deed ik ook. Maar hoe moest ik ze noemen? 'Pa' en 'ma' is te heftig. Maar om nou zomaar hun voornaam te gebruiken, vond ik ook te brutaal.

Probleem

'Wat moet ik nou?!', riep ik tegen Tim. 'Wat moet ik nou zeggen?' Tim haalde zijn schouders op. Hij zag het probleem niet. 'Als jij "u" wilt zeggen, moet je dat doen, Rhijja.' 'Ja, maar ik wíl helemaal geen "u" zeggen. Ik wil "je" zeggen.' 'Dan doe je dat toch?!' Hij begreep het niet. Ik wilde dat ze mij toestemming gaven om 'je' te zeggen. Tim zuchtte: 'Dan vráág je het toch gewoon?'

Knettergek
Maar dat durfde ik niet. Dat vond ik moeilijk. Uiteindelijk werd ik er knettergek van. Ik moest De Vraag gaan stellen. Op een avond zaten we met zijn vieren op de bank. Ik haalde diep adem. Nu moest het gebeuren.

Bert en Ernie
'Ik ... ik heb een vraag', hakkelde ik. De ouders van Tim keken me vragend aan. 'Ik ... ik weet eigenlijk niet hoe ik jullie moet noemen.' Daar, ik had het gezegd. Mijn billen knepen zich samen. 'Jij mag ons noemen zoals je wilt', zei Tims vader.
'Goed, dan noem ik jullie Bert en Ernie', wilde ik zeggen, maar dat deed ik toch maar niet. 'Mag ik jullie dan gewoon Jan en Greet noemen?', zei ik dus maar. Tims ouders knikten. 'En mag ik dan ook ... "je" zeggen? Is dat oké?' Tims ouders knikten weer. Opgelucht liet ik me achterover zakken in de bank.

Liefde
En toen dacht ik opeens: ik heb nu een superlieve vriend, toffe schoonouders, en ik mag ze ook nog eens bij hun voornaam noemen. De liefde is mooi.